www.pimentokinderboeken.nl
www.deillustratiestudio.nl

Tekst en illustraties © 2008 Gitte Spee
Typografie steef liefting

ISBN 978 90 499 2316 7
NUR 272

Pimento is een imprint van FMB uitgevers,
onderdeel van Foreign Media Group

gitte spee

rosa de rozenfee

en de allermooiste vlinder

pimento

het is heel stil
de tuin moet nog ontwaken
de bijen zoemen niet
je hoort geen kikker kwaken

maar luister goed
is daar toch al iemand op?
het zijn de grote rupsen
met twee sprieten op hun kop

ze zitten in een bessenstruik
te knabbelen van de blaadjes
ieder heeft een eigen blad
en maakt daar kleine gaatjes

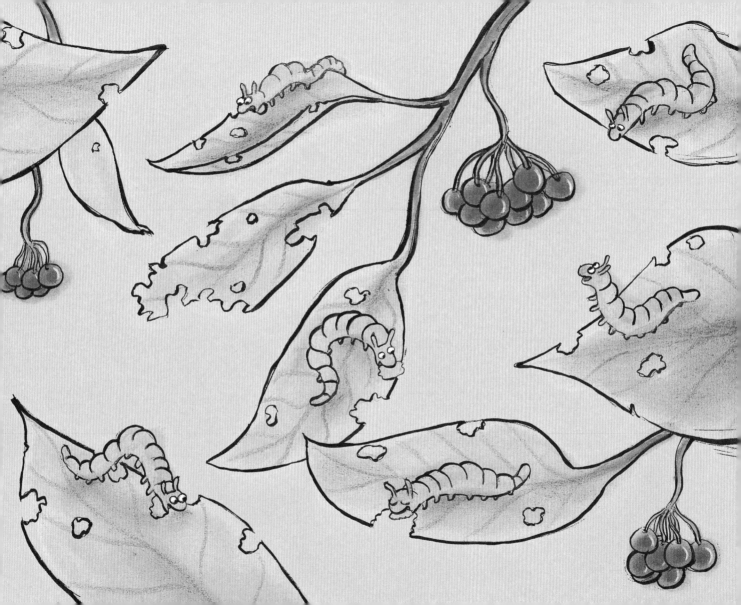

de zon komt op en raakt de rozen
met haar zonnestralen aan
zodat één voor één de rozenknoppen
langzaam opengaan

uit een grote, roze roos
kruipt een slaperige fee
het is de kleine Rosa
ze is een rozenfee

Rosa schudt haar vleugels
en strijkt haar sprieten glad
ze moet straks vlinders maken
maar heeft nog geen ontbijt gehad

Rosa zoeft snel door de tuin
en komt dan vliegensvlug
met een dikke, rode aardbei
bij haar eigen roos terug

'Hm, wat is dat lekker!'
Rosa propt zich vol
ze neemt enorme happen
haar wangen staan al bol

de roos is nu vol vlekken
Rosa smult van haar ontbijt
dan hoort ze iemand zeggen
'Het is de hoogste tijd!'

er landt een lieveheersbeest
naast Rosa op de roos
'Rosa, ga toch aan het werk,'
zegt het lieveheersbeest boos

'De rupsen zitten klaar,
ze hebben lang op je gewacht.
Ze moeten vlinders worden
en wachten al de hele nacht.'

'Ja,' zegt Rosa met volle mond
'ik was ze niet vergeten,
maar mijn maag ging zo tekeer,
ik moest echt eerst iets eten.'

Rosa vliegt snel naar de rupsen
het lieveheersbeest aan haar zij
'Hoera, daar is de rozenfee!'
roepen de rupsen blij

drie tikjes met de rozenstaf
krijgt elke rups van haar
het worden mooie vlinders
vrolijk fladderen ze door elkaar

Rosa vliegt weer naar haar roos
terug naar haar ontbijt
daarvoor is nu eindelijk
weer een beetje tijd

maar net als ze wil happen
hoort ze tot haar schrik
heel zachtjes en dichtbij
een jammerlijk gesnik

het is een schriele rups
verbaasd kijkt Rosa op
'Rupsje, waarom huil je?'
ze aait zijn groene kop

'Ik ben niet als de anderen,'
zegt het rupsje met een snik
'ik ben schriel en mager,
de anderen waren dik.'

'Word ik dan nooit een vlinder
met heel veel mooie kleuren?
Ik ben maar klein en mager,
zal mij dat niet gebeuren?'

'Rupsje,' zegt de rozenfee
'je wordt een mooie vlinder.
Je bent misschien wat kleiner,
maar daarom echt niet minder.'

'Blijf stil zitten en let op,
met mijn staf maak ik van jou
de allermooiste vlinder,
zacht glanzend, hemelsblauw.'

'O,' roept het lieveheersbeest
hij is echt ondersteboven
'zo'n bijzonder mooie vlinder,
het is nauwelijks te geloven!'

'Roos, wat is dat knap.
Hij is nu niet minder,
maar juist mooier dan de anderen.
Hij is de mooiste vlinder.'

'Ik ben geen schriele rups meer,'
zegt de vlinder met een zucht
'Nu heb ik mooie vleugels
en vlieg zo door de lucht.'

'Zonder jou, Rosa,
wist je dat,
zat ik nog te snikken
op mijn groene blad.'

'Ach, het was geen moeite,'
zegt de rozenfee
'ik heb zin in honing,
gaan jullie met me mee?'

de zon is weg, de dag is om
alle dieren slapen
de tuin wordt nu heel stil
maar hoor je Rosa gapen?

Rosa kruipt weer in haar roos
'Hm, dat is lekker zacht.'
ook een rozenfee moet slapen
welterusten, goedenacht